Les maiso du monde

Texte de Stéphanie Ledu
Illustrations de Delphine Vaufrey

MiLAN

Dans ta ville,
toutes les maisons
ne se ressemblent pas.

4

Et dans le **monde entier**,
les gens habitent des maisons
vraiment très différentes !

Là où poussent de grandes forêts, comme en **Suède**, les maisons sont en bois. En hiver, ce matériau garde la chaleur.

Certains toits sont recouverts d'herbe :
elle aussi protège bien du froid !

Ici, il n'y a aucun arbre ! Dans l'Himalaya,
la plus haute montagne du monde,
les hommes construisent leurs maisons
en pierres. Les toits plats servent
de terrasses pour cuisiner.

De nombreuses cases **africaines**, recouvertes de toits de paille, sont en terre séchée.

Mais le peuple des bergers **massaïs**
fabrique les siennes avec un mélange
de boue, de branches et de bouses de vache.

11

Pas besoin de construire de murs !
Dans certaines régions du monde, les hommes ont creusé
leurs maisons dans la roche tendre des montagnes.
Celles-ci se trouvent en Turquie.

Voici des maisons de l'île de Madagascar, au large de l'Afrique.

Leurs toits sont faits avec les feuilles séchées
de l'arbre du voyageur. Les tiges servent
à faire les murs. Mais en cas de tempête,
ces maisons, légères, s'envolent souvent !

Au **Japon**, il y a souvent des tremblements
de terre. Certaines maisons sont en bois,
avec des murs de papier : si elles s'écroulent,
ce n'est pas trop dangereux.

Sur l'immense lac Titicaca, en Amérique du Sud,
tout est fait en roseaux : les barques,
les maisons, et même les îles.

Mais l'eau abîme vite les plantes :
il faut sans cesse tout réparer, pour ne pas couler !

19

Oh ! Des cabanes tout en haut
des arbres... Ce sont celles des **Korowai**
et des **Kombai**, deux peuples de **Papouasie**.
Ils passent la journée dans la forêt. La nuit,
ils dorment près du ciel, à l'abri des bêtes
sauvages et des peuples ennemis.

Parfois, la place manque. Dans le port de Hong Kong, en Chine, des gens construisent leurs maisons sur l'eau. D'autres vivent sur leurs bateaux, les sampans.

23

Certains peuples
vivent en suivant
leurs troupeaux.

Leurs maisons doivent être faciles
à transporter et à démonter.
Les **Touaregs d'Afrique** vivent sous des tentes...

... et les **Mongols d'Asie** dans des yourtes rondes, aux murs faits de laine.

25

L'igloo est très célèbre. Les **Inuits du Grand Nord** le construisent en découpant des morceaux de glace.

Mais ils n'y vivent pas tout le temps : seulement quand ils vont chasser sur la banquise.

À quoi ressembleront les maisons
du futur ? À toi de l'imaginer…
Et si tu dessinais la maison que tu rêves
d'habiter quand tu seras grand ?

Découvre tous les titres
de la collection

Mes P'tits DOCS

La station de ski

Les trains

Le chocolat

Le cinéma

Le vétérinaire

Les pirates

Le camping

Les animaux de la banquise

Tout propre !

Au bureau
Le bébé
Le bricolage
Les camions
Les dinosaures
L'école maternelle
L'espace

Les abeilles

Les châteaux forts

À table !

Le jardin

Le pain

Le cirque

Les Jeux olympiques

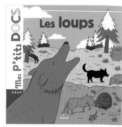
Les loups

Chez le docteur

Versailles

Les robots

Les chats

La mer